ROCHES ET MINÉRAUX

Francis Duranthon

Illustrations de Catherine Fichaux

MILAN
jeunesse

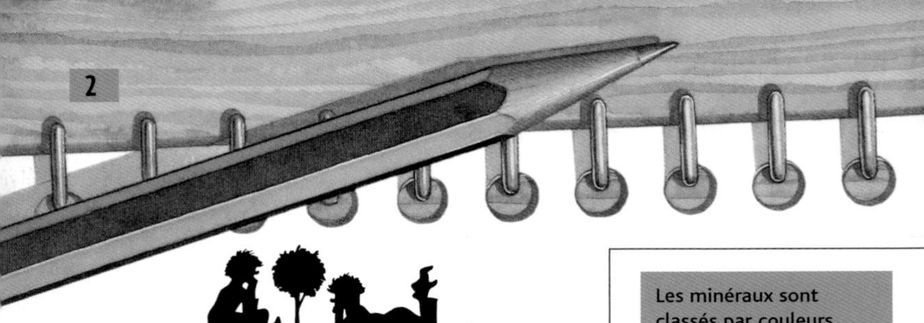

Comment utiliser ton carnet

Ton carnet a été conçu pour que tu puisses t'en servir directement dans la nature : grâce à son petit format, tu peux facilement le glisser dans ta poche ou ton sac à dos, et l'avoir ainsi toujours avec toi lors de tes balades-découvertes.

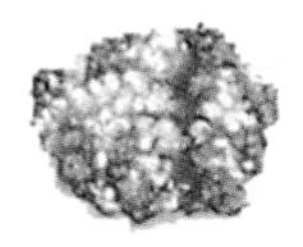

Les 67 minéraux et les 16 roches de ton carnet sont parmi les plus courants ou les plus célèbres.
Ils sont classés soit par couleurs (minéraux), soit par familles (roches).
Tu devras donc toujours vérifier si les autres caractères (éclat, densité, dureté) correspondent, avant d'être certain de ta détermination.
Ainsi tu apprendras à les trouver, à les identifier et tu pourras entamer une passionnante collection.

Les minéraux sont classés par couleurs, en 10 catégories : incolores, blancs, gris, bruns, noirs, violets, bleus, verts, jaunes, rouges et orange.
Ces couleurs sont indiquées sur le bandeau en haut de chaque page. Certains minéraux pouvant avoir plusieurs teintes, les autres sont indiquées dans la fiche. Quant aux roches, elles sont classées par familles, la couleur n'étant pas, pour elles, un critère d'identification majeur.

- un petit tableau qui te donne les **4 critères primordiaux d'identification**, que tu pourras déterminer par des expériences simples (*voir* p. 28) ;

dureté	densité
éclat	
système cristallin	

Sommaire

Pour chaque roche ou minéral, plusieurs indices de reconnaissance sont indiqués. Lis-les bien tous car c'est leur ensemble qui peut permettre une identification juste. Tu trouveras donc :

- le **nom** de la roche ou du minéral ;
- les **autres couleurs possibles** du minéral, s'il y a lieu ;

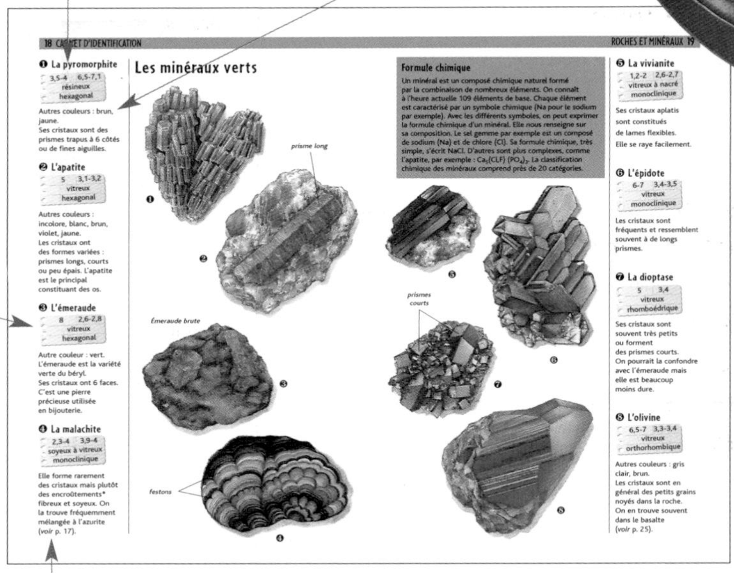

1 La pyromorphite

3,5-4 6,5-7,1
résineux
hexagonal

Autres couleurs : brun, jaune.
Ses cristaux sont des prismes trapus à 6 côtés ou de fines aiguilles.

2 L'apatite

5 3,1-3,2
vitreux
hexagonal

Autres couleurs : incolore, blanc, brun, violet, jaune.
Les cristaux ont des formes variées : prismes longs, courts ou peu épais. L'apatite est le principal constituant des os.

3 L'émeraude

8 2,6-2,8
vitreux
hexagonal

Autre couleur : vert.
L'émeraude est la variété verte du béryl.
Ses cristaux ont 6 faces.
C'est une pierre précieuse utilisée en bijouterie.

4 La malachite

2,3-4 3,9-4
soyeux à vitreux
monoclinique

Elle forme rarement des cristaux mais plutôt des encroûtements* fibreux et soyeux. On la trouve fréquemment mélangée à l'azurite (*voir* p. 17).

Les minéraux verts

Formule chimique

Un minéral est un composé chimique naturel formé par la combinaison de nombreux éléments. On connaît à l'heure actuelle 109 éléments de base. Chaque élément est caractérisé par un symbole chimique (Na pour le sodium par exemple). Avec les différents symboles, on peut exprimer la formule chimique d'un minéral. Elle nous renseigne sur sa composition. Le sel gemme par exemple est un composé de sodium (Na) et de chlore (Cl). Sa formule chimique, très simple, s'écrit NaCl. D'autres sont plus complexes, comme l'apatite, par exemple : $Ca_5(CLF)(PO_4)_3$. La classification chimique des minéraux comprend près de 20 catégories.

5 La vivianite

1,2-2 2,6-2,7
vitreux à nacré
monoclinique

Ses cristaux aplatis sont constitués de lames flexibles.
Elle se raye facilement.

6 L'épidote

6-7 3,4-3,5
vitreux
monoclinique

Les cristaux sont fréquents et ressemblent souvent à de longs prismes.

7 La dioptase

5 3,4
vitreux
rhomboédrique

Ses cristaux sont souvent très petits ou forment des prismes courts.
On pourrait la confondre avec l'émeraude mais elle est beaucoup moins dure.

8 L'olivine

6,5-7 3,3-3,4
vitreux
orthorhombique

Autres couleurs : gris clair, brun.
Les cristaux sont en général des petits grains noyés dans la roche.
On en trouve souvent dans le basalte (*voir* p. 25).

- **1 ou 2 éléments** sur l'aspect général, le plus fréquent, de la roche ou du minéral.

Tu trouveras également sur chaque double page des encadrés qui te donneront des informations complémentaires et variées sur le monde minéral, l'utilisation des roches et des minéraux, leur étude, les métiers qui en découlent...

L'index (p. 30) te permettra de retrouver rapidement une roche ou un minéral de ton choix et de cocher au fur et à mesure de tes découvertes pour suivre l'évolution de tes connaissances. Quand il y a un astérisque au-dessus d'un mot, c'est que tu peux te référer au lexique (p. 31) pour connaître sa définition.

Minéral, cristal, roche, minerai...

Un minéral est une substance solide naturelle qui se forme à la suite de processus physiques et chimiques. Il se présente sous une forme particulière, le cristal, qui dépend de l'arrangement des atomes qui constituent le minéral. Une roche est un assemblage de minéraux. Un minerai est un ensemble rocheux contenant des substances utiles(par exemple des métaux) en quantité suffisante pour que leur exploitation soit rentable.

Attention

Certaines expériences que tu ne peux pas réaliser sur le terrain sont parfois nécessaires pour vérifier l'identité des minéraux récoltés. Tu trouveras p. 28 des critères et méthodes d'identification simples à expérimenter, de retour à la maison.

Plus de 4 000 minéraux

Il existe à l'heure actuelle plus de 4 000 sortes de minéraux différents connues. On en décrit tous les ans de nouvelles.

Le matériel de récolte

- marteau
- burins et pointerolles
- sacs à échantillons
- crayon à papier
- papier pour emballer tes découvertes
- loupe pour observer les petits cristaux
- carnet de terrain pour noter les lieux de tes découvertes
- des gants pour protéger tes mains : une roche fraîchement cassée coupe les doigts
- lunettes de protection pour tailler la pierre (des lunettes de piscine feront l'affaire)

Règles de conduite et de sécurité

- Ne pars jamais seul et, si tu es accompagné d'un autre enfant, il faut prévenir ta famille ou un adulte de l'endroit où vous allez.
- Dans une propriété privée, tu dois demander l'autorisation au propriétaire avant de commencer la récolte.
- Pense à refermer les barrières et n'abîme pas les clôtures.
- Ne laisse pas d'ordures.
- Porte un casque, au pied des falaises ou dans les carrières, et des lunettes si tu casses des cailloux.
- En bord de mer, fais bien attention à ne pas te laisser surprendre par la marée montante.
- Au bord des rivières, ne va pas dans les secteurs balisés par des panneaux signalant la montée possible des eaux.
- Ne t'aventure pas sans un adulte dans les mines, les carrières et les grottes. Cela peut être très dangereux.
- Ne prends pas de pierres appartenant à un mur.
- Ne ramasse qu'un petit nombre de spécimens et pense à en laisser pour les autres.

Où trouver des minéraux

Il y a des minéraux partout. Le plus souvent, ils sont invisibles à l'œil nu mais ils entrent dans la composition de toutes les roches. Tu peux donc collectionner tous les types de roches qui existent dans ta région. Plus tu seras proche d'une région montagneuse, plus la variété des roches sera importante. Mais si tu habites loin des montagnes, tu trouveras malgré tout des roches qui en proviennent au bord des rivières. Pour trouver de beaux échantillons de minéraux, il faudra t'armer de beaucoup de patience... et d'une bonne paire de chaussures. La majeure partie des endroits connus pour les minéraux a été tellement visitée qu'il ne faut plus espérer, sauf miracle, y trouver de beaux cristaux. Il va donc falloir que tu trouves de nouveaux sites. Pour cela, marche en regardant partout : bords de route, talus, carrières, falaises, labours...

Les minéraux incolores

Les minéraux

Les minéraux sont des corps naturels solides, formés à la suite de processus chimiques et physiques. Ils sont composés d'atomes* dont la disposition détermine une forme particulière : le cristal. Les minéraux entrent dans la composition des roches.

❶ Le gypse

2	2,3
vitreux	
monoclinique	

Autre couleur : blanc.
Les cristaux sont fréquemment formés de lamelles superposées. Ils présentent souvent une forme en fer de lance caractéristique.

❷ Le sel gemme

2,5	2,1-2,6
gras	
cubique	

Autres couleurs : blanc, rougeâtre, bleu.
Les cristaux, généralement en cubes, présentent parfois des dépressions sur les différentes faces.
Tu peux fabriquer ce minéral. Pour cela, dissous dans 1 litre d'eau très chaude 3 verres de sel de cuisine. Place un caillou dans ton récipient d'eau salée. Puis laisse-le reposer. Quand l'eau sera évaporée, tu auras des cristaux de sel gemme. Pour les conserver, passe dessus un peu de laque à cheveux.

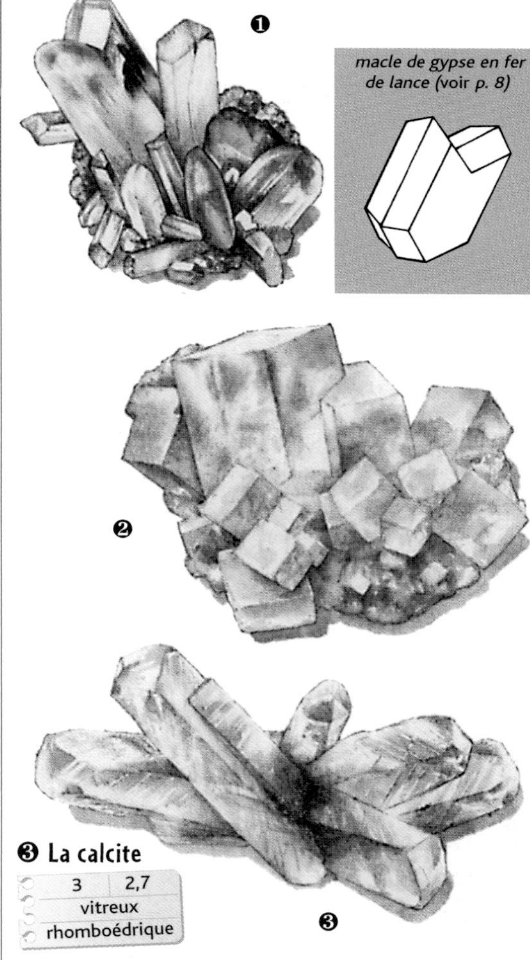

macle de gypse en fer de lance (voir p. 8)

❸ La calcite

3	2,7
vitreux	
rhomboédrique	

Autre couleur : blanc.
C'est un carbonate*. Pour l'identifier, dépose une goutte de vinaigre sur un petit cristal. Tu verras alors apparaître de petites bulles. Ce phénomène d'effervescence est caractéristique des carbonates. Ses cristaux, d'aspect varié, sont très fréquents mais, le plus souvent, la forme du rhomboèdre* est conservée.

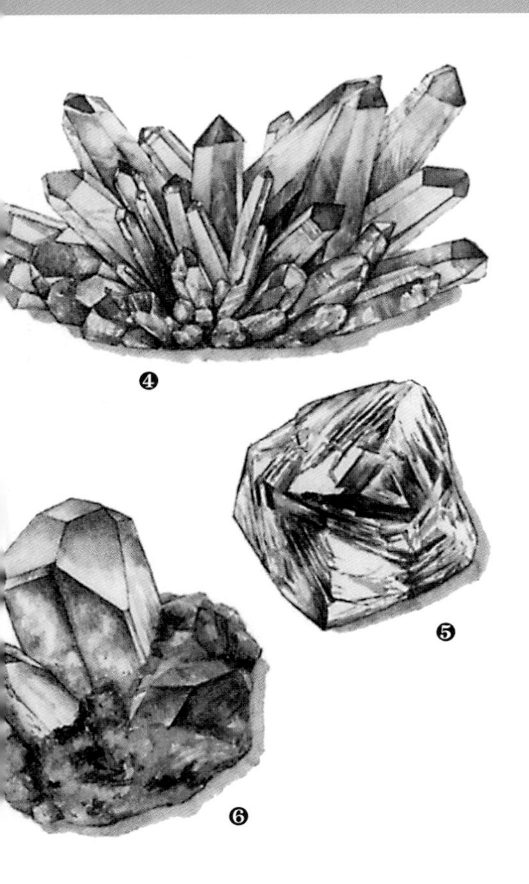

❹ Le quartz cristal de roche

7	2,6
vitreux	
rhomboédrique	

Autres couleurs : noir, violet, gris, rose, jaune. Les cristaux sont en général en forme de prisme ou d'aiguilles transparentes. Ce minéral, très commun, se retrouve dans beaucoup de roches comme le granite (*voir* p. 24). Le silex est une forme de quartz.

❺ Le diamant

10	3,52
adamantin	
cubique	

Autres couleurs : jaune, bleu, rouge, vert, gris. Généralement en octaèdres* brillants et bien cristallisés, ce minéral est le plus dur de tous. 2 diamants sur 10 sont utilisés en joaillerie, les autres servent à fabriquer des outils ou des abrasifs*.

❻ La topaze

8	3,5-3,6
vitreux	
orthorhombique	

Autres couleurs : jaune, rose, brun, bleu. Souvent en grands cristaux isolés, c'est une pierre précieuse, surtout quand elle est rose ou brune. Les topazes les plus roses, employées en joaillerie, sont des topazes brunes modifiées par chauffage. Ne pas confondre avec le quartz brun ; elle est plus dure et plus dense.

La taille du diamant

C'est le travail du diamantaire. Après l'avoir bien observé à la loupe pour y repérer les impuretés, le diamantaire « ébrute » le diamant en coupant la partie supérieure et en le frottant contre un autre diamant pour l'arrondir. Puis, il le fixe sur un support et taille une facette plate avec une meule d'acier recouverte de poussière de diamant. Selon la valeur de la pierre, il ajoutera alors des facettes par multiples de 4. Le carat (0,2 g) est une unité de poids utilisée par les diamantaires. Ce carat est différent de celui qui sert à mesurer l'or qui, lui, indique la proportion d'or pur dans un alliage.

Les minéraux blancs

Les macles

Les cristaux d'un même minéral grandissent parfois étroitement imbriqués l'un dans l'autre, ils forment des macles. Le gypse (*voir* p. 6) a une macle en fer de lance et la pyrite (*voir* p. 20) une macle en croix de fer.

❶ Le talc

1	2,7-2,8
gras à nacré	
monoclinique	

Autres couleurs : gris, vert, jaune, brun.
Ce minéral est le plus tendre de tous. On a les mains douces après l'avoir touché. Il est très utilisé pour les produits de beauté et dans la fabrication des pneus, des peintures...

❶

❷ La magnésite

3,5-5	3-3,2
gras	
hexagonal	

Autre couleur : incolore.
On la trouve en général sous la forme d'une masse blanc terne. Parfois, elle a de petites aiguilles et peut être granuleuse.

❷

❸ La muscovite

2-2,5	2,8-3
vitreux à nacré	
monoclinique	

Autres couleurs : incolore, gris.
Ce minéral est formé de lamelles flexibles superposées, translucides à transparentes. C'est l'un des constituants principaux du granite (*voir* p. 24).

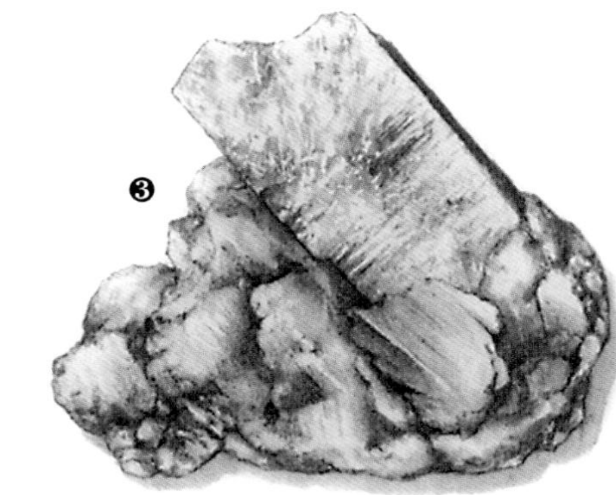
❸

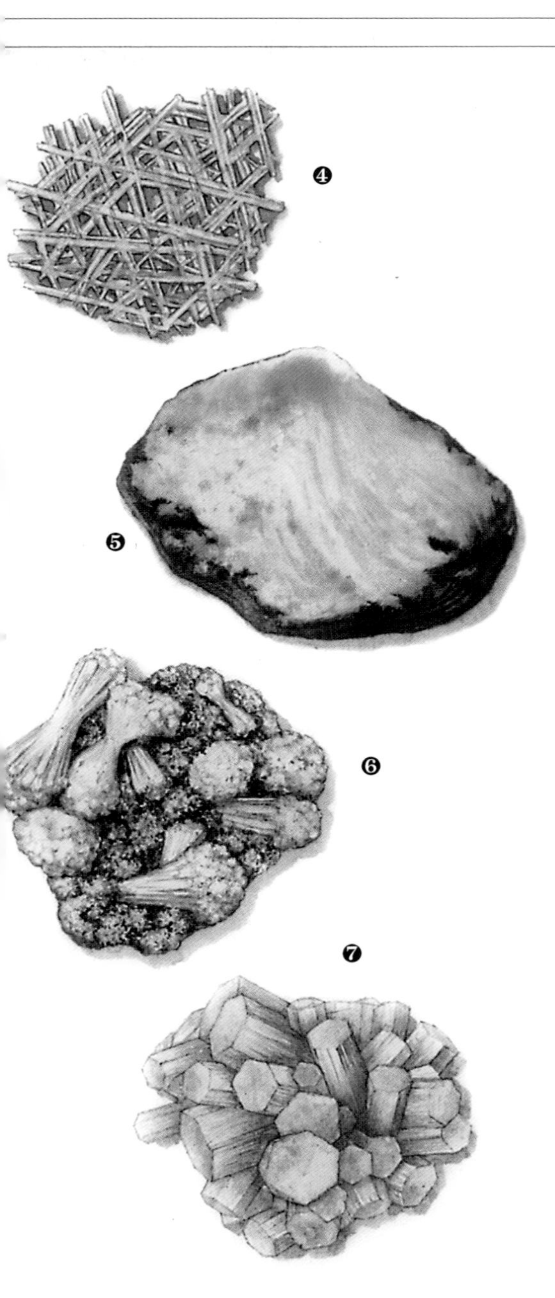

❹ La cérusite

3-3,5	6,5-6,6
adamantin	
orthorhombique	

Autres couleurs : jaune, gris, brun, noir, incolore. On la trouve souvent en encroûtements* constitués parfois de petites aiguilles en étoiles ou de rognons*.

❺ L'opale

5-6	1,9-2
vitreux à résineux	

Autres couleurs : rouge, gris, vert, bleu, jaune, irisé*. Elle ne se présente jamais en cristaux.
L'opale précieuse est caractérisée par des irisations arc-en-ciel. L'opale orange, appelée « opale de feu », est utilisée en joaillerie.

❻ La stilbite

3,5-4	2,1-2,2
vitreux	
monoclinique	

Autres couleurs : rouge, jaune, brun.Les cristaux sont souvent en feuillets ou en plaquettes juxtaposées dont la forme évoque un peu celle du chou-fleur.

❼ L'aragonite

3,5-4	2,9-3
vitreux	
orthorhombique	

Autres couleurs : jaune, gris, rouge, violet, bleu, vert, brun, incolore. Comme la calcite (*voir* p. 6), elle mousse au contact du vinaigre. C'est un carbonate*. L'intérieur des coquillages est constitué d'aragonite.

Les mines en graphite

Le graphite était autrefois utilisé pour fabriquer les mines de crayon. Comme ce minéral était trop gras (les écritures étaient très épaisses), un chimiste a eu l'idée de le mélanger avec de l'argile. Ainsi, on a pu obtenir des crayons de duretés différentes. Ces duretés sont encore marquées sur les crayons : H pour les mines dures (avec beaucoup d'argile) et B pour les mines tendres. Plus le chiffre accolé à la lettre est important, plus la mine est dure ou tendre.
La mention HB marque une dureté moyenne.

Les minéraux gris

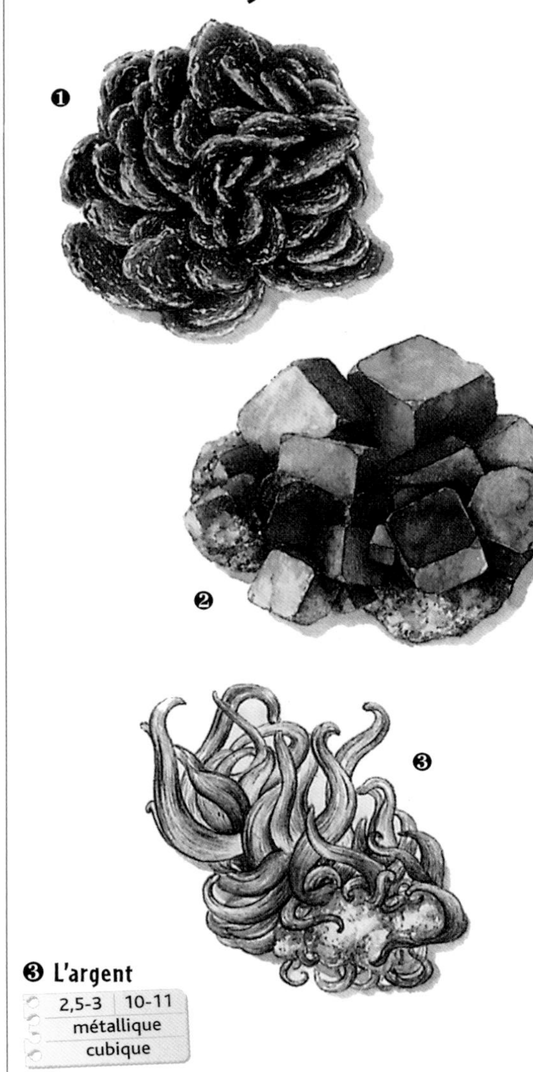

❶ Le graphite

1-2	2,3
submétallique	
hexagonal	

Les cristaux sont en général plats. Lorsqu'ils sont fins, ils sont flexibles mais non élastiques. Gras au toucher, ils laissent des traces sur les doigts.

❷ La galène

2,5-2,7	7,4-7,6
métallique	
cubique	

Les cristaux en forme de cube se reconnaissent facilement car ils sont lourds et de couleur gris métallique.

❸ L'argent

2,5-3	10-11
métallique	
cubique	

Les cristaux d'argent forment souvent des masses d'aiguilles fibreuses entortillées. Les surfaces fraîchement cassées sont blanches.

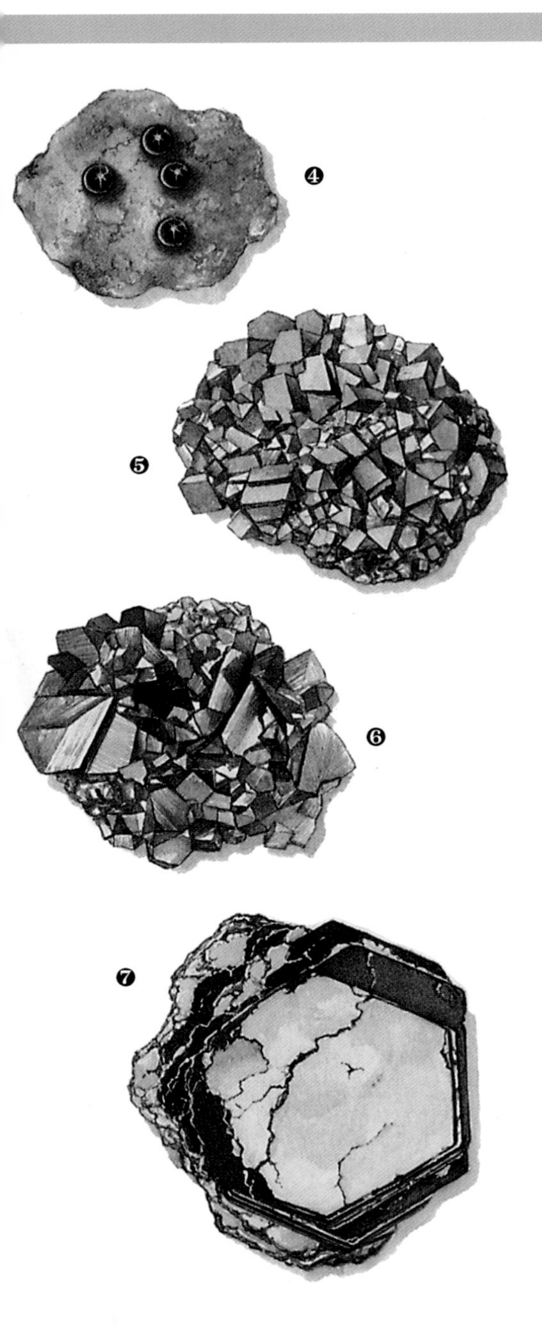

❹ Le mercure

	13,6
métallique	
rhomboédrique	

Ce minéral est le seul qui soit liquide à température ambiante. Il y en a dans les thermomètres médicaux. Attention : le mercure est un poison violent. De plus, il dissout l'or, alors, gare aux bijoux.

❺ Le mispickel

5,5-6	5,9-6,2
métallique	
monoclinique	

Ce minéral contient de l'arsenic, qui dégage une odeur d'ail lorsqu'on casse un échantillon avec le marteau.

❻ La tétraédrite

3-4,5	4,6-5,1
métallique	
cubique	

Autre couleur : noir. Elle est en général bien cristallisée en beaux tétraèdres* aigus et distincts.

❼ L'hématite

1-6,5	4,9-5,3
terreux ou métal.	
hexagonal	

Autres couleurs : noir, brun, rouge. Ce minéral peut se présenter sous plusieurs formes : petites écailles plates et fines, rhomboèdres* ou lentilles.

❽ Le béryl

8	2,6-2,8
vitreux	
hexagonal	

Autres couleurs : vert, bleu pâle, brun, jaune, rose.
Les cristaux constituent en général des prismes à 6 côtés. Les variétés transparentes sont utilisées comme pierres précieuses : l'émeraude (verte), l'aigue-marine (bleue et bleu-vert), le béryl doré (brun-jaune) et la morganite (rose).

❾ L'antimoine

3,5	6,6
métallique	
rhomboédrique	

Les cristaux d'antimoine ressemblent à des cubes. Ils se regroupent souvent en petits agrégats* grenus et massifs.

❿ L'andalousite

7,5	3,1-3,2
vitreux	
orthorhombique	

Autres couleurs : jaune, brun, noir.
Les cristaux ont souvent une surface terne et présentent des arêtes émoussées.

⓫ L'agate

7	2,6
vitreux	
rhomboédrique	

Autres couleurs : noir, brun, rouge, blanc.
C'est une variété de quartz. Les agates sont faites de petites fibres disposées en bandes superposées.

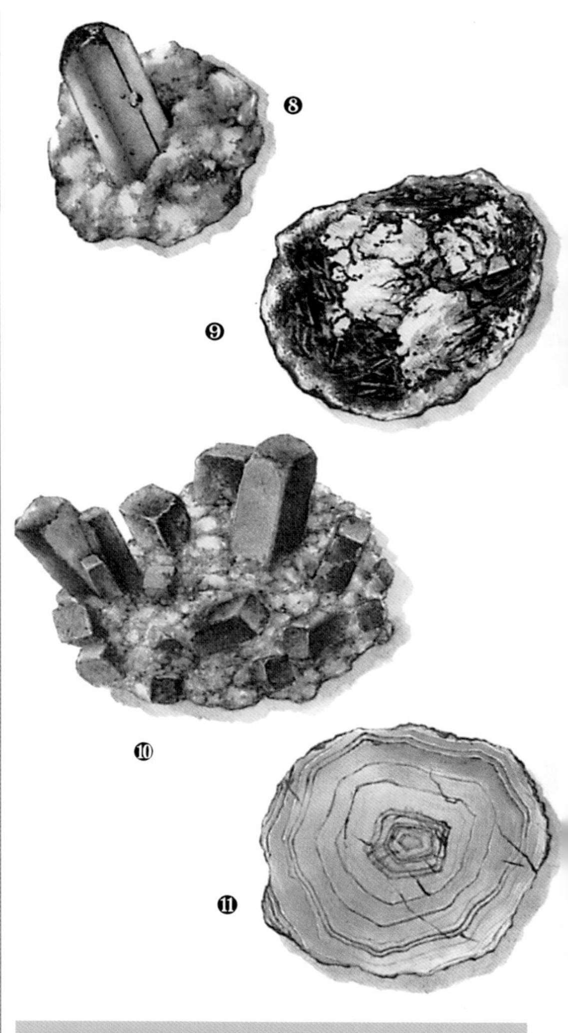

Les agates bleues

Chez les marchands de minéraux, on trouve souvent des agates bleues. Ces minéraux ne sont pas naturels. Pour les fabriquer, on a fait tremper des agates dans du sulfate de cuivre, qui pénètre dans le cristal pour lui donner cette couleur bleue.

Les minéraux bruns

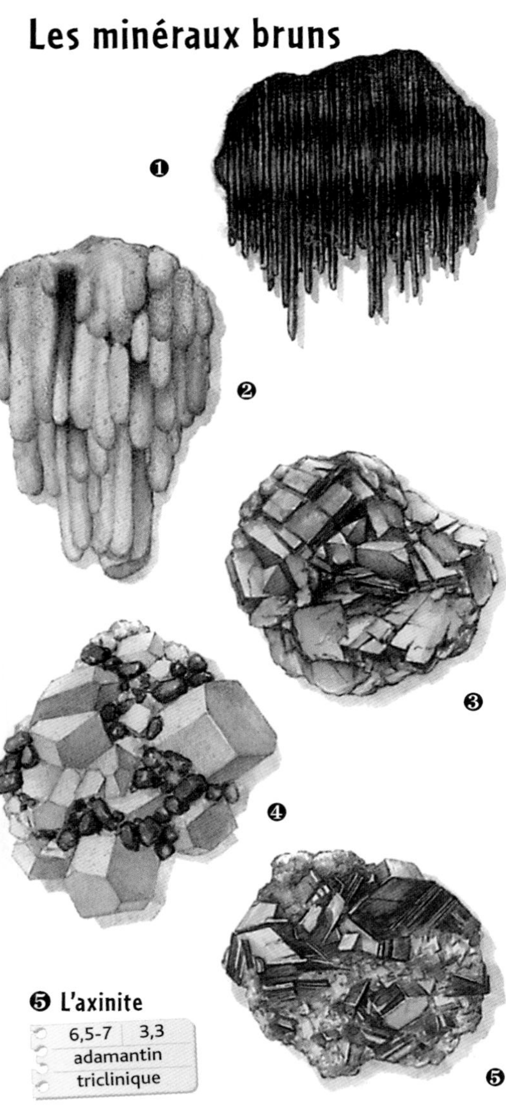

❺ L'axinite

6,5-7	3,3
adamantin	
triclinique	

Autres couleurs : gris, violet, vert.
Les cristaux sont généralement aplatis ou en agrégats* composés de lamelles, présentant de nombreuses stries parallèles sur les faces des cristaux.

❶ La goethite

5-5,5	3,3-4,3
adamantin	
orthorhombique	

Autre couleur : noir.
Autres éclats : métallique à soyeux.
Ce minéral se présente souvent en plaquettes dont la surface est constituée d'une multitude de petites aiguilles.

❷ La limonite

5,5	2,7-4,3
gras à terne	

Autre couleur : ocre.
Ce minéral n'existe pas en cristaux.
Il constitue en général des encroûtements* ou des stalactites terreuses.

❸ La sidérose

3,5-4	3,7-3,9
vitreux à nacré	
rhomboédrique	

Autres couleurs : jaune, vert, gris.
Les cristaux sont souvent déformés mais, même dans ce cas, ils gardent en général la forme du rhomboèdre*.

❹ L'orthose

6	2,6
vitreux	
monoclinique	

Autres couleurs : incolore, gris, blanc, rouge, jaune.
Ses cristaux forment généralement des prismes trapus. On peut le confondre avec la calcite mais il ne fait pas de bulles au contact du vinaigre.

Les minéraux noirs

Le métier de minéralogiste

Il demande de longues études universitaires (4 à 8 ans) après le baccalauréat, qui débouchent sur des emplois de recherche ou dans le secteur minier (prospecteur, chimiste...).

❶ La tourmaline

7-7,5	3-3,3
vitreux	
hexagonal	

Autres couleurs : vert, bleu, brun.
Les cristaux, pouvant parfois atteindre 1 m de long, sont généralement triangulaires en section transversale*.

❷ Le quartz morion

7	2,6
vitreux	
rhomboédrique	

Autres couleurs : incolore, violet, gris, rose, jaune.
Les cristaux forment en général des prismes à 6 côtés.
On les rencontre le plus souvent dans des géodes*.

❸ La biotite

2,5-3	2,8-3,4
vitreux	
monoclinique	

Ce minéral se présente en lamelles flexibles et élastiques, opaques à transparentes.

❶

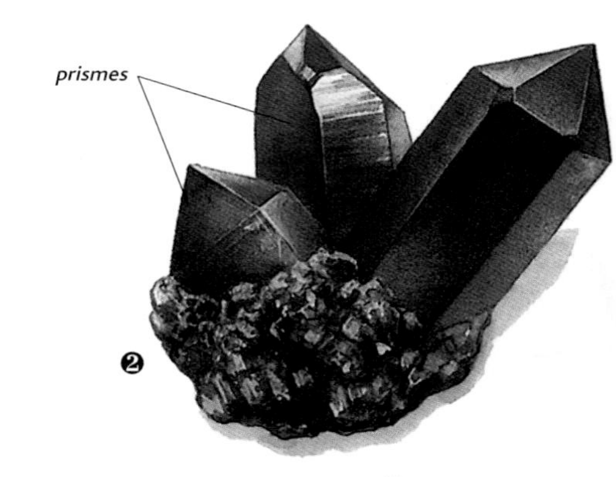

❷

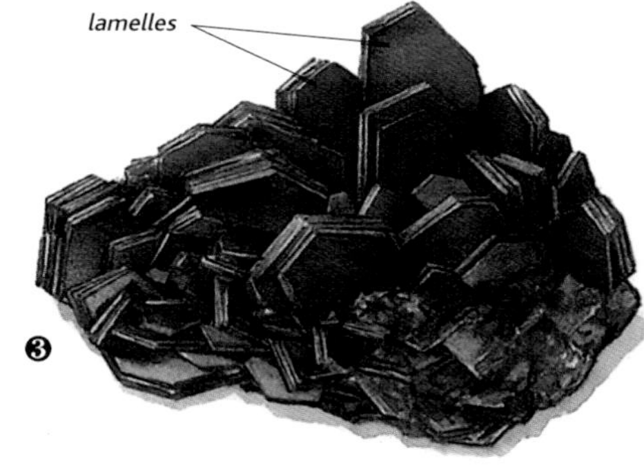

❸

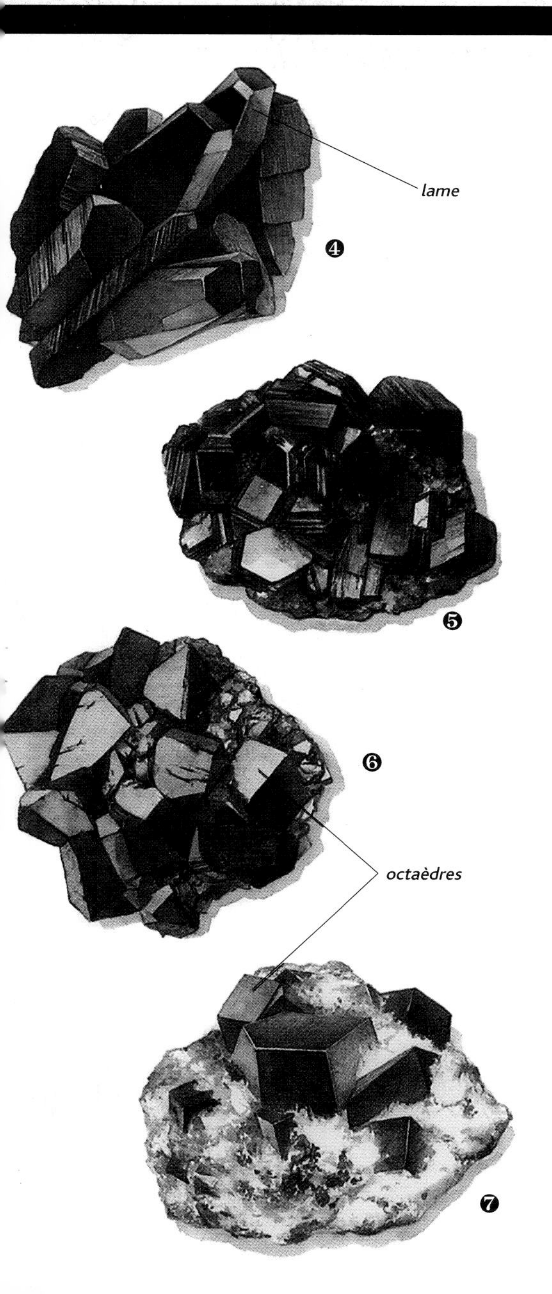

❹ La wolframite

5-5,5	7,1-7,5
submétallique	
monoclinique	

Les cristaux forment généralement des lames noires de 2,5 à 5 cm de longueur.

❺ La blende

3,5-4	3,9-4,2
adamantin à résineux	
cubique	

Ce minéral présente en général des cristaux tétraédriques* mais il existe aussi en stalactites, en masse ou en grains.

❻ La cassitérite

6-7	6,8-7,1
adamantin	
rhomboédrique	

Les cristaux forment le plus souvent des octaèdres* mais aussi des aiguilles. On peut la confondre avec la tourmaline noire (*voir* p. 14), qui est plus légère, ou la magnétite (*ci-dessous*). Le test de la boussole permet de différencier la cassitérite de la magnétite.

❼ La magnétite

6	5,2
métallique	
cubique	

Ce minéral est un aimant naturel : il fait bouger l'aiguille de la boussole et attire le fer. Ses cristaux ont en général 8 faces (octaèdre*).

Les minéraux violets

❶ L'améthyste

7	2,6
vitreux	
rhomboédrique	

Autres couleurs : noir, gris, rose, jaune, incolore. L'améthyste est une variété de quartz. Elle se rencontre souvent dans des géodes* et se reconnaît facilement avec ses 6 faces couronnées d'une pyramide.

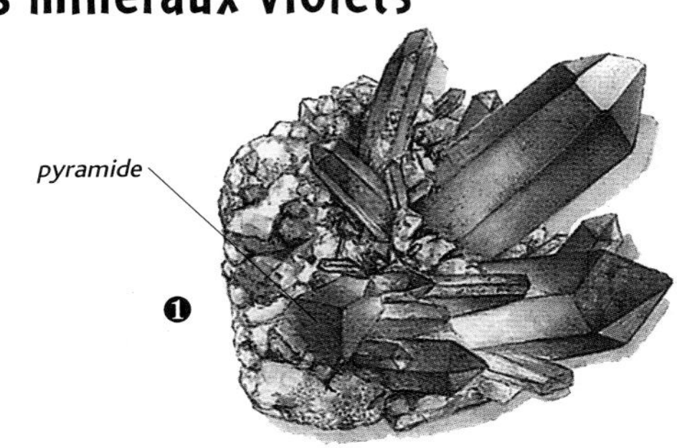

❷ L'anhydrite

3-3,5	3
vitreux à nacré	
orthorhombique	

Autres couleurs : incolore, blanc. On la rencontre généralement en petits grains, les cristaux bien formés sont rares. Ce minéral s'altère* souvent en gypse.

❸ La fluorine

4	3-3,3
gras	
cubique	

Autres couleurs : jaune, bleu, vert. Les cristaux de fluorine ont le plus souvent la forme d'un cube. Ils sont plus durs que ceux de la calcite mais moins durs que ceux du quartz.

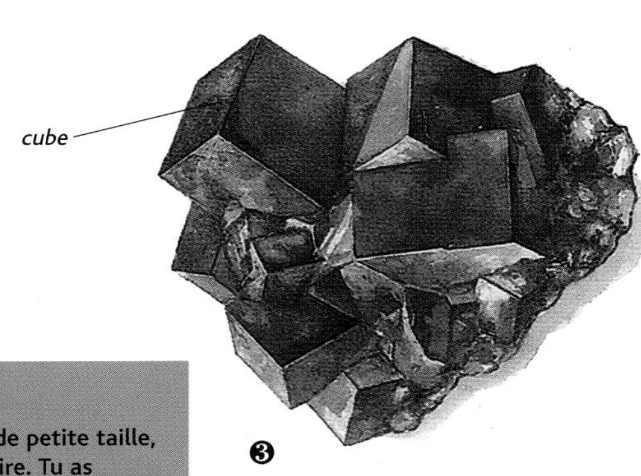

Micromounts

On appelle ainsi des minéraux de petite taille, observables à la loupe binoculaire. Tu as beaucoup plus de chances de trouver de beaux cristaux de petite taille que de grande taille. Tu peux alors collectionner ces minuscules échantillons. Et puis, tu verras, c'est moins encombrant que de gros échantillons, même si c'est moins joli sur une étagère...

Les minéraux bleus

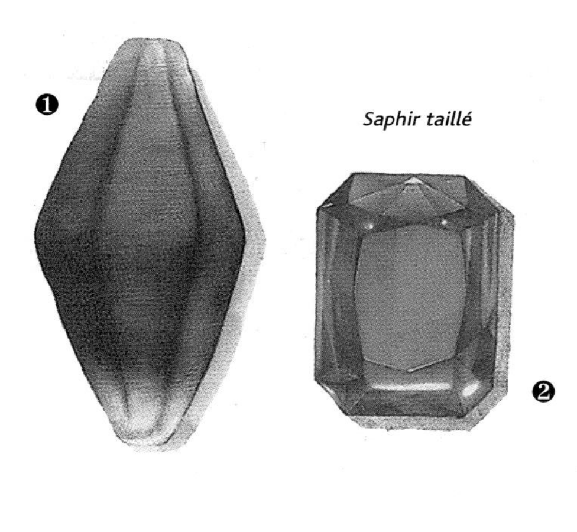

Saphir taillé

❶ Le corindon

9	3,9-4,1
adamantin	
hexagonal	

Autres couleurs : jaune, incolore, rouge, brun, gris. Ses cristaux très, très durs ont en général 6 côtés.

❷ Le saphir

9	3,9-4,1
adamantin	
hexagonal	

Autres couleurs : jaune, incolore, rouge, brun, gris. Le saphir est la variété bleu transparent du corindon, utilisée en bijouterie comme pierre précieuse.

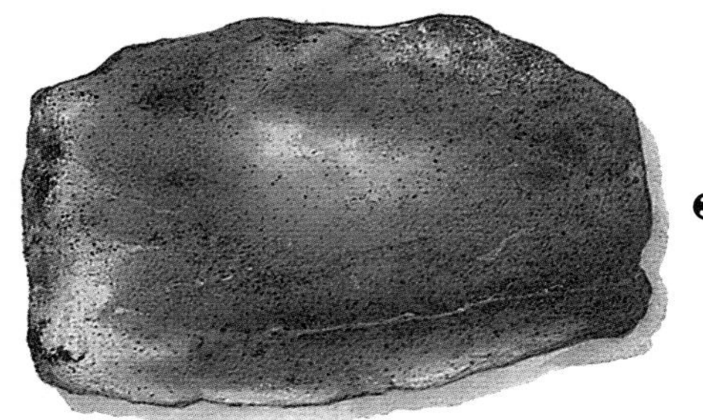

❸ Le lapis-lazuli

5-5,5	2,4-2,5
vitreux	
cubique	

Ce minéral se présente souvent en petits grains disséminés dans des calcaires métamorphiques (*voir* p. 26).

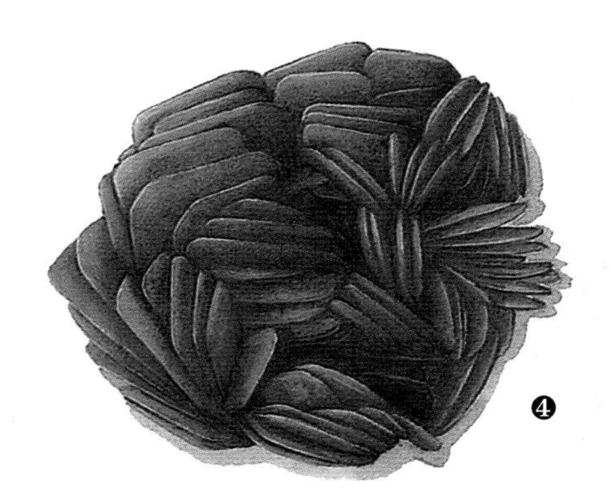

❹ L'azurite

3,5-4	3,8
vitreux	
monoclinique	

Elle se présente très souvent en cristaux d'un bleu profond. Elle se transforme par altération* en malachite (*voir* p. 18).

Les minéraux verts

❶ La pyromorphite

3,5-4	6,5-7,1
résineux	
hexagonal	

Autres couleurs : brun, jaune.
Ses cristaux sont des prismes trapus à 6 côtés ou de fines aiguilles.

❷ L'apatite

5	3,1-3,2
vitreux	
hexagonal	

Autres couleurs : incolore, blanc, brun, violet, jaune.
Les cristaux ont des formes variées : prismes longs, courts ou peu épais. L'apatite est le principal constituant des os.

❸ L'émeraude

8	2,6-2,8
vitreux	
hexagonal	

Autre couleur : vert.
L'émeraude est la variété verte du béryl.
Ses cristaux ont 6 faces. C'est une pierre précieuse utilisée en bijouterie.

❹ La malachite

2,3-4	3,9-4
soyeux à vitreux	
monoclinique	

Elle forme rarement des cristaux mais plutôt des encroûtements* fibreux et soyeux. On la trouve fréquemment mélangée à l'azurite (*voir* p. 17).

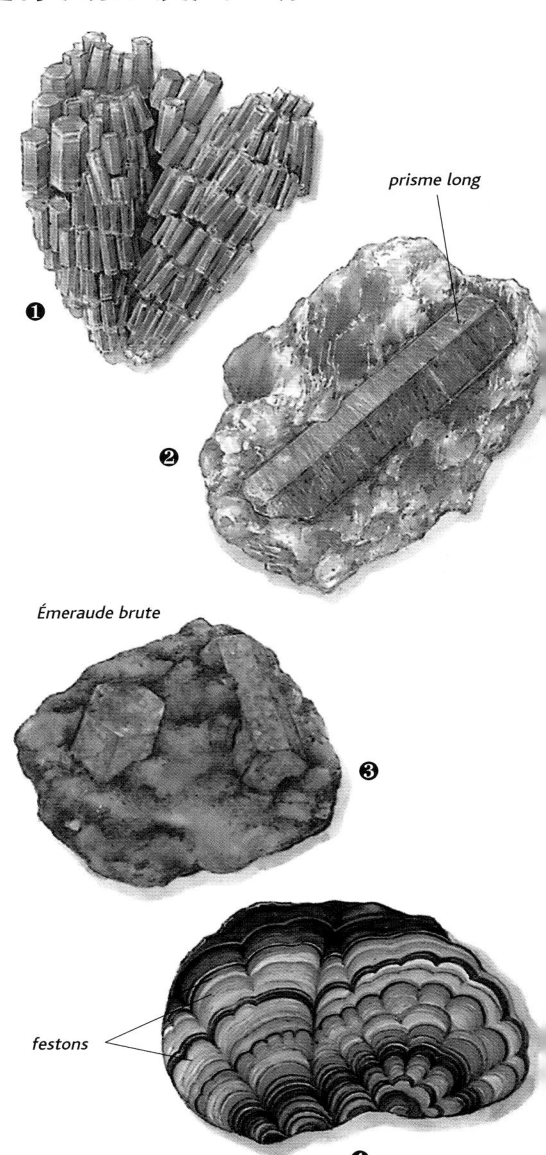

Formule chimique

Un minéral est un composé chimique naturel formé par la combinaison de nombreux éléments. On connaît à l'heure actuelle 109 éléments de base. Chaque élément est caractérisé par un symbole chimique (Na pour le sodium par exemple). Avec les différents symboles, on peut exprimer la formule chimique d'un minéral. Elle nous renseigne sur sa composition. Le sel gemme par exemple est un composé de sodium (Na) et de chlore (Cl). Sa formule chimique, très simple, s'écrit NaCl. D'autres sont plus complexes, comme l'apatite, par exemple : $Ca_5(Cl,F)(PO_4)_3$. La classification chimique des minéraux comprend près de 20 catégories.

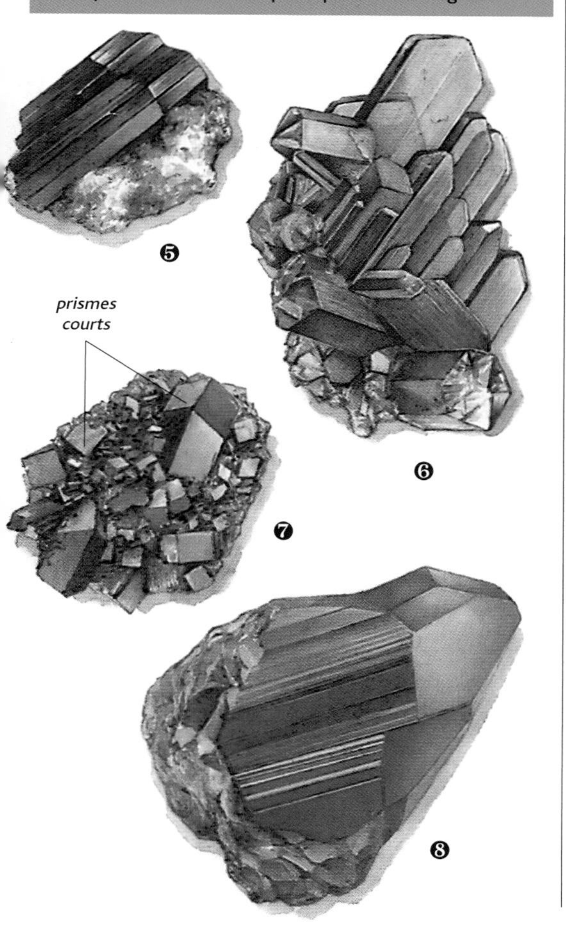

❺ La vivianite

1,2-2	2,6-2,7
vitreux à nacré	
monoclinique	

Ses cristaux aplatis sont constitués de lames flexibles. Elle se raye facilement.

❻ L'épidote

6-7	3,4-3,5
vitreux	
monoclinique	

Les cristaux sont fréquents et ressemblent souvent à de longs prismes.

❼ La dioptase

5	3,4
vitreux	
rhomboédrique	

Ses cristaux sont souvent très petits ou forment des prismes courts. On pourrait la confondre avec l'émeraude mais elle est beaucoup moins dure.

❽ L'olivine

6,5-7	3,3-3,4
vitreux	
orthorhombique	

Autres couleurs : gris clair, brun. Les cristaux sont en général des petits grains noyés dans la roche. On en trouve souvent dans le basalte (*voir* p. 25).

Les minéraux jaunes

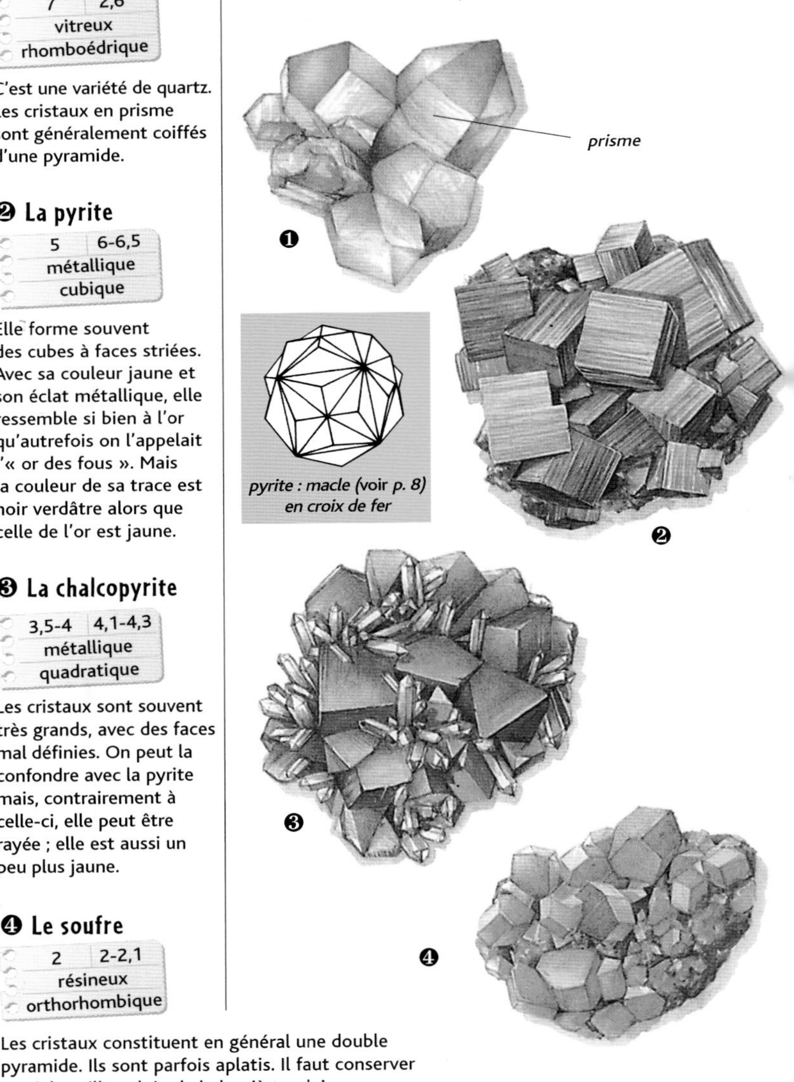

pyrite : macle (voir p. 8) en croix de fer

❶ Le quartz citrine

7	2,6
vitreux	
rhomboédrique	

C'est une variété de quartz. Les cristaux en prisme sont généralement coiffés d'une pyramide.

❷ La pyrite

5	6-6,5
métallique	
cubique	

Elle forme souvent des cubes à faces striées. Avec sa couleur jaune et son éclat métallique, elle ressemble si bien à l'or qu'autrefois on l'appelait l'« or des fous ». Mais la couleur de sa trace est noir verdâtre alors que celle de l'or est jaune.

❸ La chalcopyrite

3,5-4	4,1-4,3
métallique	
quadratique	

Les cristaux sont souvent très grands, avec des faces mal définies. On peut la confondre avec la pyrite mais, contrairement à celle-ci, elle peut être rayée ; elle est aussi un peu plus jaune.

❹ Le soufre

2	2-2,1
résineux	
orthorhombique	

Les cristaux constituent en général une double pyramide. Ils sont parfois aplatis. Il faut conserver tes échantillons loin de la lumière solaire et les manipuler aussi rarement que possible car ils sont très fragiles.

❺ L'orpiment

1,5-2	3,4-3,5
résineux	
monoclinique	

Les cristaux sont rares. Ce minéral forme souvent des masses entremêlées. Il change de couleur si on l'expose à la lumière et se ternit rapidement.

❻ L'or

2,5-3	19,9
métallique	
cubique	

Les cristaux forment des octaèdres*, des masses aplaties en feuilles ou en fines écailles.

❼ L'ambre

2-2,5	1-11
gras	

Ce minéral est de la résine fossile, il n'y a pas de système cristallin. Il contient souvent de petites impuretés ou même des insectes fossilisés.

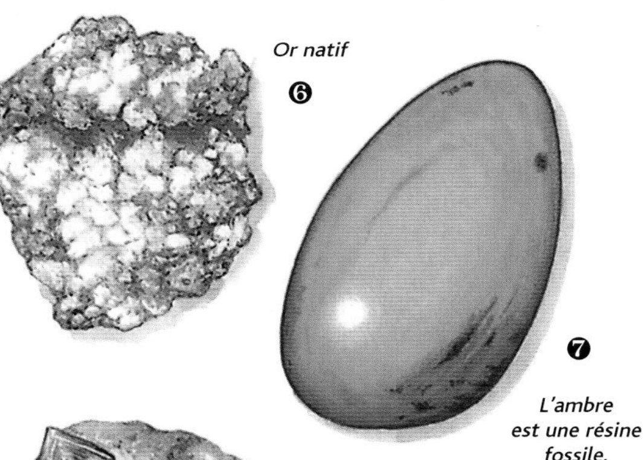

Or natif

L'ambre est une résine fossile.

❽ La marcassite

6-6,5	4,9
métallique	
orthorhombique	

Ce minéral forme souvent des sortes de nodules* très lourds. Si tu les casses, tu verras au centre des rayons. On peut le confondre avec la pyrite mais il est plus clair.

Chercheur d'or

Dans le lit de certaines rivières, notamment en Limousin et en Ariège, on trouve parfois des paillettes d'or. Pour cela, il te faudra une batée* et beaucoup de patience. Après avoir mis au fond de la batée un petit peu d'alluvions, donne-lui un léger mouvement circulaire. Puis élimine les éléments en suspension en l'inclinant légèrement. Recommence l'opération plusieurs fois. À la fin, lorsque tous les minéraux en suspension seront éliminés, tu verras au fond de la batée des minéraux lourds (grenats, zircons...) et, si tu as de la chance, des paillettes d'or.

Les minéraux rouges et orange

Éléments natifs

Certains minéraux sont formés par un seul élément chimique (*voir* encadré p. 19). On les appelle les éléments natifs. C'est le cas du soufre, du cuivre, de l'argent, du mercure, du diamant, du graphite...

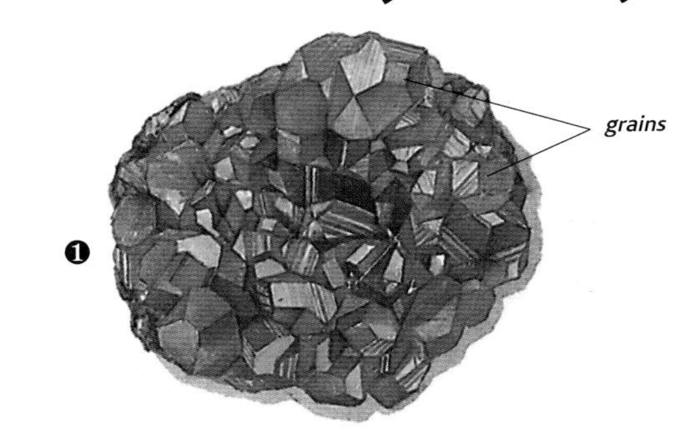

❶ Le grenat

6-7,5	3,5-4,3
vitreux	
cubique	

Autres couleurs : orange, jaune, violet, noir.
On désigne sous ce nom une famille de 6 minéraux. Leur identification précise est délicate.
Ils se présentent le plus souvent en grains plus ou moins gros, à 12 faces.

❷ Le réalgar

1,5-2	3,5
résineux	
monoclinique	

Ce minéral cristallise rarement. Il se conserve mal à la lumière et se couvre au bout de quelque temps d'une poussière jaune, l'orpiment (*voir* p. 21) un autre minéral. Pour retarder ce phénomène, il faut conserver le réalgar dans le noir.

❸ Le cinabre

2,5	8,1
adamantin	
rhomboédrique	

Ce minéral se présente sous forme massive, en poudre, en grains ou en aiguilles.

❹ Le rubis

9	3,9-4,1
adamantin	
hexagonal	

Les cristaux constituent des prismes courts en fuseaux ou en tablettes. C'est une variété du corindon (*voir* p.17) utilisée comme pierre précieuse.

❹

Rubis taillé

❺ Le rutile

6-6,5	4,2-4,3
vitreux à adamantin	
quadratique	

Autres couleurs : brun, jaune.
Les cristaux sont fréquents, en prismes allongés et striés ou en forme de cheveux.

❻

petit prisme

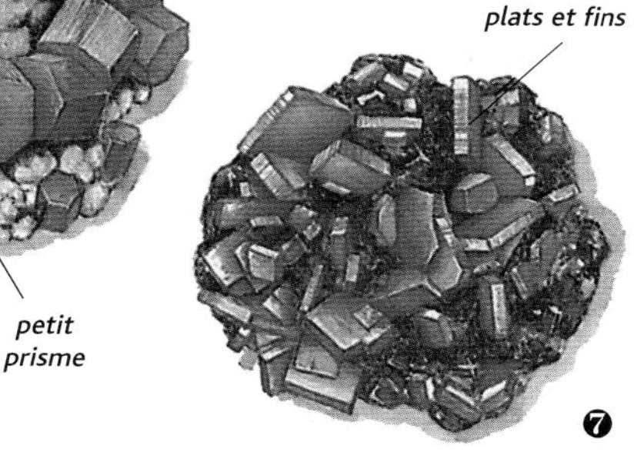

❻ La vanadinite

2,7-3	6,7-7,1
résineux	
hexagonal	

Autres couleurs : jaune, orange, brun.
Les cristaux sont en général de petits prismes à 6 côtés.
Ils ont tendance à noircir à la lumière.

❼ La wulfénite

2,7-3	6,8
adamantin	
quadratique	

Les cristaux sont en général plats et plutôt fins.

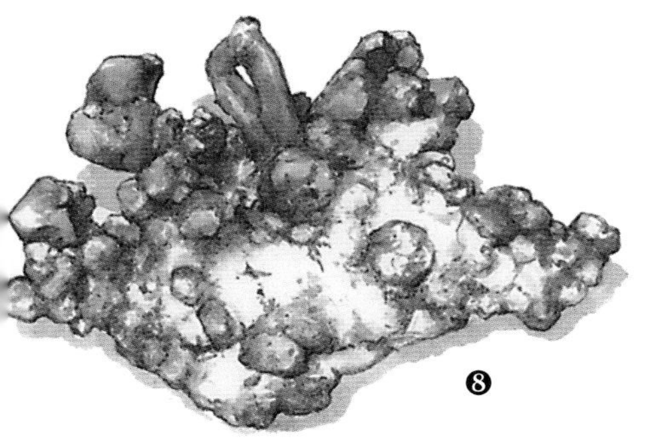

❽ Le cuivre

2,5-3	8,9
métallique	
cubique	

Les cristaux sont souvent cubiques ou à 8 côtés.
Dans la nature, le cuivre est souvent recouvert d'azurite (*voir* p. 17) ou de malachite (*voir* p. 18).

Les roches

Une roche est une association naturelle de plusieurs minéraux. On distingue plusieurs types de roches : plutoniques, effusives, sédimentaires et métamorphiques. Cette classification se base sur les phénomènes de formation des roches.

Roches plutoniques

Elles se forment par le refroidissement d'une lave* sous la surface du sol.

❶ Le granite

C'est une roche dure, généralement claire, où les différents minéraux sont visibles et forment des grains. Il est composé de quartz (*voir* p. 7), d'orthose (*voir* p. 13) et de quelques minéraux foncés.

❷ La diorite

Tachetée de noir et de blanc, elle est constituée de grains de taille égale.

❸ La pegmatite

C'est une roche formée de cristaux de grande taille, de couleur blanche, rose et rouge. Les cristaux sont souvent parallèles les uns aux autres.

Roches effusives

Elles résultent du refroidissement d'une lave*
à la surface du sol.

❶ Le basalte

Noir à grains très fins, il ne contient pas de quartz. On y trouve parfois de petits grains verts, qui sont des cristaux d'olivine (*voir* p.19).

❷ La bombe volcanique

C'est une lave qui a été projetée par un volcan et qui s'est solidifiée en l'air, avant de retomber.
En fuseau ou plus ou moins aplatie, elle est généralement de couleur brune.
Si on la casse, on découvre souvent des bulles à l'intérieur.

❸ Le tuf

C'est une roche formée par accumulation de projections volcaniques en fragments de quelques millimètres.

❹ L'obsidienne

C'est une lave solidifiée, vitreuse, noire et brillante.

Météorite

Ce sont des fragments rocheux ou riches en métal, qui viennent de l'espace.

Roches sédimentaires

Elles se forment à la surface de la terre.

❶ Le calcaire

Il est constitué de calcite (*voir* p. 6) finement cristallisée. Sa couleur est très variable mais il réagit toujours en faisant des bulles au contact du vinaigre. La craie est un calcaire très pur, formé par l'accumulation de squelettes de petits animaux microscopiques.

❷ Le grès

De couleur variable, il résulte du durcissement d'un sable dont tous les grains ont à peu près la même taille. Le quartz (*voir* p.7) en est l'élément principal.

❸ Le conglomérat

Il se compose de galets arrondis, de cailloux ou de blocs pris dans une sorte de ciment plus fin. Sa présence traduit l'existence de forts courants pouvant mettre en mouvement de tels cailloux.

❹ L'argile

C'est un mélange de minéraux microscopiques argileux, de quartz, de mica... Elle colle souvent aux doigts quand elle est mouillée.

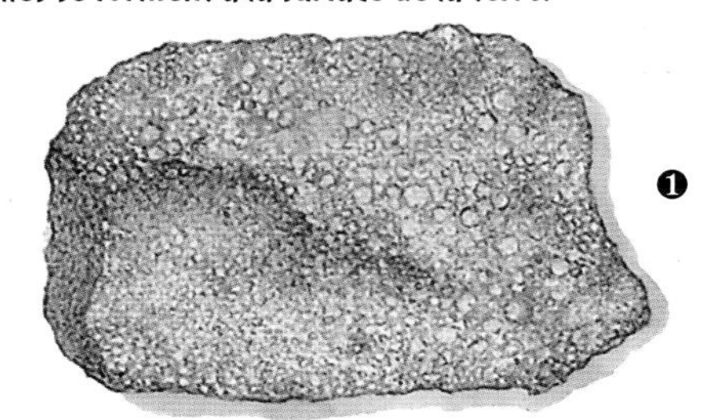

Calcaire oolithique (formé de petites boules)

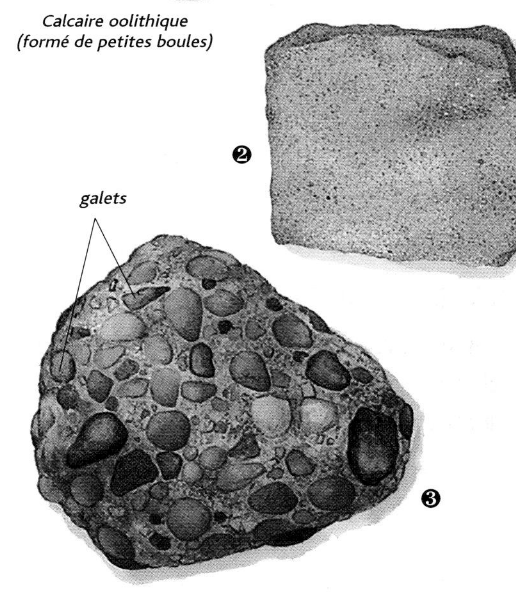

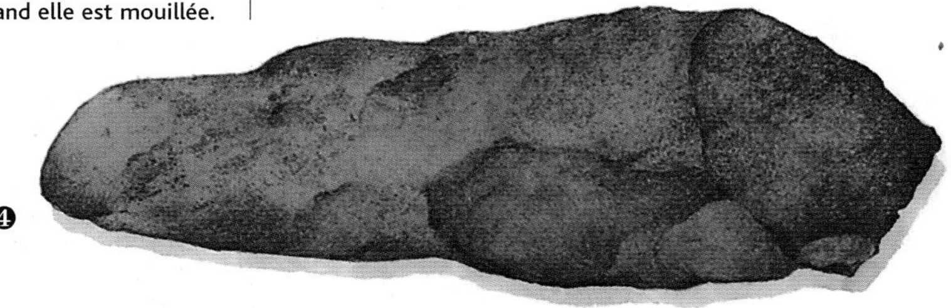

❺ La dolomie

De couleur claire, on la reconnaît facilement car elle sent mauvais lorsqu'on la casse.

❻ Le lœss

C'est une roche généralement peu dure formée par des grains de sable arrondis qui ont été accumulés dans les creux par le vent.

❼ Le travertin

Roche calcaire, très légère, en général de couleur claire, elle se forme dans certaines sources et certains cours d'eau peu profonds. Elle contient souvent des empreintes de végétaux fossiles.

Roches métamorphiques

Elles résultent de la transformation d'une roche sous l'effet de la chaleur, due à un contact avec de la lave ou à un enfouissement à de grandes profondeurs.

❶ L'ardoise

C'est une argile qui a été transformée par la chaleur. Elle se caractérise par sa couleur noir bleuté et son débitage en petites plaquettes superposées. On y trouve souvent de la pyrite (*voir* p. 20).

❷ Le marbre

C'est un calcaire ou une dolomie qui ont été transformés par la chaleur. De couleur blanche, jaune, rouge, noire ou verte, il peut être facilement rayé au canif.

Le matériel

- une loupe
- un canif
- une lime à fer
- du fil de cuivre
- un morceau de verre non coupant
- un morceau (non coupant) de porcelaine blanche, non vernissée.
- une éprouvette graduée
- une balance

La couleur de la trace

Elle se détermine en frottant un minéral sur de la porcelaine non vernissée. Il inscrit alors une trace colorée qui peut servir à déterminer ton minéral. Attention, les minéraux de dureté supérieure à 6,5 ne laisseront derrière eux que de la poudre blanche de porcelaine car ils sont plus durs qu'elle.

Identifier, conserver

Les minéraux sont déballés à la maison et nettoyés en général à l'eau et au savon avec une brosse, pas trop dure pour ne pas les rayer, ou un pinceau. Pour les aiguilles fragiles, élimine la poussière en soufflant. Sur des minéraux ou des roches recueillis en surface, il y a de la mousse ou des lichens. Tu peux les faire disparaître en plongeant tes échantillons une journée dans de l'eau de Javel, puis en les brossant vigoureusement (s'ils ne sont pas trop fragiles).

La densité

C'est le rapport entre la masse d'un minéral et celle d'un volume égal d'eau. Pour mesurer sa densité, plonge un minéral dans un récipient rempli d'eau à ras bord et récupère l'eau qui déborde. Ensuite, mesure la quantité d'eau récupérée en centimètres cubes, dans l'éprouvette graduée, et pèse le minéral en grammes. Divise alors le nombre de grammes par le nombre de centimètres cubes, tu obtiendras la densité de ton minéral.

Les 7 systèmes cristallins

Les cristaux se répartissent dans 7 systèmes cristallins :

❶ cubique : galène, pyrite...

❷ monoclinique : gypse, orthose...

❸ triclinique : disthène, axinite...

❹ quadratique : zircon, wulfénite...

❺ orthorhombique : soufre, barytine...

❻ hexagonal : apatite, béryl...

❼ rhomboédrique : calcite, corindon...

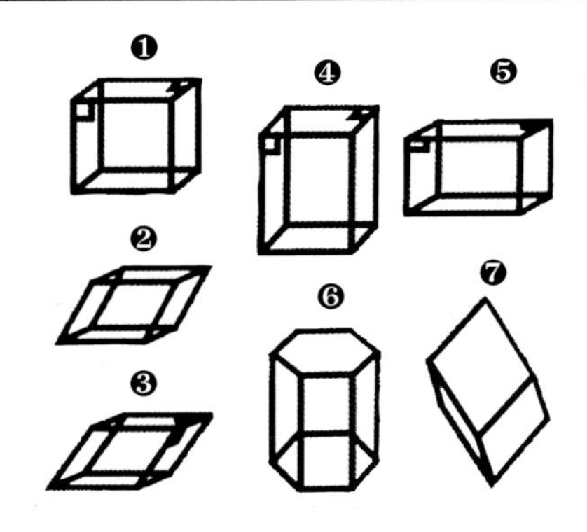

L'échelle de dureté

Elle est graduée de 1 à 10. À chaque niveau de la règle correspond un minéral qui sert de référence.

On peut estimer les duretés facilement : les minéraux de dureté 1 et 2 se rayent facilement à l'ongle, celui de dureté 1 étant généralement onctueux au toucher. Un fil de cuivre raye les minéraux de dureté 3, le canif les raye jusqu'à 5, une bonne lime à fer les entame jusqu'à 7. Les minéraux de dureté supérieure à 6 rayent le verre (lui-même de dureté 5).

1 : talc
2 : gypse
3 : calcite
4 : fluorine
5 : apatite
6 : orthose
7 : quartz
8 : topaze
9 : corindon
10 : diamant

La conservation

Tes échantillons ne sont intéressants que si tu sais d'où ils viennent. Sur un cahier, tu vas leur attribuer un numéro, noter leur provenance, la date de la récolte et tous les renseignements que tu auras sur tes trouvailles. Pour être sûr de ne pas les mélanger, note le numéro sur ton caillou : mets une touche de peinture blanche, sur laquelle tu inscriras le numéro à l'encre de Chine et passe du vernis incolore sur le numéro.
Tu peux conserver ta collection dans des boîtes, des tiroirs ou une vitrine. Dans tous les cas, protège-la bien de la poussière.

L'éclat

L'éclat permet de caractériser l'aspect d'un minéral. Les minéraux à éclat **métallique** ressemblent à des métaux, ceux à éclat **vitreux** ressemblent à du verre. Un éclat **submétallique** est entre celui du métal et celui du verre. Un aspect brillant et gras sera dit **adamantin**. Un éclat **résineux** est celui de la résine tandis qu'un éclat **gras** (semblable à celui de l'huile) est un peu moins brillant que celui du diamant. L'éclat **soyeux** est celui d'un minéral formé de petites aiguilles parallèles tandis qu'un éclat **nacré** est celui d'un coquillage irisé*.

Index

Lexique

Abrasion : usure par frottement sur uncorps dur (abrasif).

Agrégat : masse de cristaux intimement liés entre eux.

Altération : modification des propriétés d'un minéral ou d'une roche par les agents atmosphériques (eau, vent, gel...) pouvant aller jusqu'à la transformation en un autre minéral.

Atome : minuscule particule, invisible à l'œil nu, constituant élémentaire de la matière.

Batée : outil de chercheur d'or en forme de chapeau chinois.

Carbonate : minéral qui fait effervescence au contact des acides comme le vinaigre.

Encroûtement : sorte de croûte qui recouvre certaines roches ou minéraux.

Géode : masse creuse dont les parois sont tapissées de cristaux. Dans les roches magmatiques, les géodes sont formées par des bulles de gaz ; dans les roches métamorphiques et sédimentaires, elles proviennent de cassures.

Irisé : qui a les couleurs de l'arc-en-ciel.

Lave : roche en fusion.

Nodule : concrétion de forme arrondie, située dans une roche de nature différente.

Octaèdre : prisme à 8 côtés (*voir* p. 15).

Rhomboèdre : forme cristalline (*voir* p. 28).

Rognon : masse irrégulièrement arrondie située dans une roche de nature différente.

Section transversale : coupe perpendiculaire à la longueur.

Tétraèdre : prisme à 4 côtés (*voir* p. 11).

Lorsque tu as identifié une roche ou un minéral, coche le ☐ correspondant à son nom.

Activités et identification, la nature est pleine d'idées, et tes carnets pleins d'inventions.

Dans la même collection

1 Fleurs des montagnes
2 Arbres d'Europe
3 Oiseaux des jardins
4 Traces et empreintes
5 Engins flottants
6 Cabanes et abris
7 La météo
8 L'orientation
9 Le secourisme
10 Petites bêtes de la campagne
11 Champignons des bois et des prés
12 Oiseaux des montagnes
13 Étoiles et planètes
14 Nichoirs et mangeoires
15 Feux et cuisine
16 Poissons d'eau douce
17 Fossiles d'Europe
18 Reptiles d'Europe
19 Messages secrets
20 Luges, traîneaux et raquettes
21 Mammifères des montagnes
22 Oiseaux du bord de mer
23 Les arbustes et leurs secrets
24 Avoir un chien
25 Jouets des bois et des champs
26 Roches et minéraux
27 Mammifères des bois et des champs
28 Oiseaux des rivières et des étangs
29 Fleurs des champs
30 Aquariums
31 Le jardinage – Les légumes
32 Le jardinage – Les fleurs
33 Meubler sa cabane
34 Élever des petites bêtes
35 Poissons de mer
36 Fleurs des bois
37 Arbres des villes et des jardins
38 Avoir un chat
39 Avoir un cochon d'Inde
40 Les chiens
41 Objets volants
42 Engins roulants
43 La pêche en eau douce
44 Petites bêtes des rivières et des étangs
45 Les dinosaures et leurs cousins
46 Mammifères marins
47 Les chats
48 Poneys et chevaux
49 Les requins
50 Petites bêtes du bord de mer
51 Mobiles
52 Plantes méditerranéennes
53 Les vaches
54 Les félins
55 Fleurs d'eau douce
56 Jouets de la campagne
57 Découvrir le bord de mer
58 Le jardinage – Les plantes d'intérieur
59 Les nœuds
60 Petites bêtes des montagnes
61 Les singes
62 Les animaux de la ferme
63 Avoir un poney
64 Papillons et chenilles
65 Plantes agricoles
66 Musique en herbe
67 Arbres fruitiers
68 Poissons d'aquarium
69 La ruche
70 Herbiers et fleurs séchées
71 Les volcans
72 Bijoux et créations nature
73 Tremblements de terre
74 Déguisements nature
75 La vigne
76 Petites bêtes de la maison
77 Un hamster à la maison
78 Tempêtes et cyclones
79 Jeux de plein air
80 Comètes et météorites
81 L'archéologie
82 La fourmilière
83 Plantes carnivores
84 L'eau
85 Animaux en danger
86 Le corps humain
87 Les rapaces
88 Des oiseaux à la maison
89 Petites bêtes des jardins
90 Sur les traces des dinosaures

300, rue Léon-Joulin, 31101 Toulouse Cedex 9, France.

Loi 49.956 du 16.07.1949
ISBN : 2.7459.1016.7
Dépôt légal : 2e trimestre 2003
Imprimé en Italie par Canale